D0674317

PARIS

Traduction : Nicolas Blot.
Photocomposition : Compo Gallieni, Paris.
Impression : Leefung-Asco Printers Ltd, Hong Kong.

Dépôt légal : Octobre 1988.

ISBN 2-87677-046-6

Dep. Leg. B-8.514-87

PARIS

Texte
d'Edmund Swinglehurst

Paris est une ville qui célèbre le mariage réussi de la raison et du romantisme, avec un enthousiasme qui préserve sa jeunesse pour l'éternité. La Tour Eiffel est le symbole et le souvenir le plus populaire de Paris. Où que vous alliez dans Paris, la Tour Eiffel vous suit, dressée comme un Meccano géant au-dessus des toits mansardés; on la trouve sur des cendriers, des boîtes à musique, des décorations de gâteaux et même dans ces petits globes de plastique qui, lorsqu'on les secoue, la couvrent de neige.

Peut-on imaginer concept plus romantique qu'une tour de fer plantée au cœur d'une ville ? Cette idée est presque aussi extravagante que celle de doter le métro parisien de pneumatiques ou de bâtir un musée d'art moderne qui ressemble à une raffinerie de pétrole. Des innovations aussi saisissantes ont été diversement accueillies par les Parisiens qui ne manquent jamais d'exprimer haut et fort leur opinion.

Cette façon de faire connaître le fond de sa pensée est typiquement parisienne, l'expression claire et logique de leurs opinions étant aussi importante pour les Parisiens que le message qu'ils veulent faire passer. Cette tradition remonte au XIIe siècle, lorsque Pierre Abélard provoqua l'exaspération du monde de l'éducation en suggérant à ses maîtres ecclésiastiques que la connaissance découlait de l'expérience de la vie telle qu'elle était interprétée par la pensée logique. Cette doctrine, à une époque où les modes de pensée étaient en grande partie conditionnés par le dogme religieux scolastique, fut exposée par Abélard à Notre-Dame, dans l'île de la Cité.

L'île a depuis lors vu disparaître bon nombre de ses édifices médiévaux, à cause notamment de la fièvre de reconstruction qui animait Napoléon III, mais on peut encore y voir le vieux palais qui est devenu le Palais de Justice, ainsi que l'élégante Sainte-Chapelle et la Conciergerie qui était l'antichambre de la guillotine à l'époque de la Révolution. Au cours de cette période la raison atteignit parfois des extrêmes absurdes et tragiques : illustration parfaite de ces absurdités, les révolutionnaires rebaptisèrent Notre-Dame du nom de « Temple de la Raison ».

A l'extrémité en aval de l'île se situe un bosquet qui par opposition eût pu recevoir le nom de « Temple de l'Amour ». Son appellation réelle n'est pas inappropriée, puisqu'il est connu sous le nom de square du Vert-Galant, surnom d'Henri IV; ce roi plein de bon sens, qui mit un terme aux guerres de religion, savait apprécier à sa juste valeur la beauté des Parisiennes : cinquante-trois d'entre elles devinrent les maîtresses du Vert Galant.

Tache de verdure romantique s'il en est, le square du Vert-Galant est un endroit charmant où l'on peut s'asseoir pour jouir de la vue sur la Seine, avec le Louvre sur la Rive Droite, et le Pont des Arts qui mène à l'Institut de France sur la Rive Gauche : encore faut-il que vous puissiez trouver une place au milieu des couples de jeunes gens qui se pressent à l'ombre de la statue équestre du bon roi Henri qui, par discrétion, leur tourne le dos.

Les jeunes sont nombreux dans cette partie de la capitale. Le Quartier Latin est à deux pas : il suffit pour l'atteindre de traverser le Pont-Neuf qui, en dépit de son nom, est le plus ancien de Paris. Voici la Sorbonne et l'Ecole des Beaux-Arts, ainsi que d'autres ateliers et établissements d'enseignement. Le long des rues étroites du Quartier Latin se succèdent galeries d'art, librairies, restaurants et cafés qui tous possèdent une individualité reflétant la personnalité du propriétaire. Les artères principales du quartier sont le boulevard Saint-Michel (le « Boul'-Mich' ») et le boulevard Saint-Germain. Le boulevard Saint-Michel est un haut lieu de la vie estudiantine. En été les cafés prennent leurs aises sur les trottoirs, sous les platanes qui bordent le boulevard, et les serveurs s'activent d'une table à l'autre avec leurs plateaux chargés de verres de bière ou de vin, de sandwiches et d'assiettes de saucisses-frites. En hiver les tables se serrent les unes contre les autres sous les verrières qui permettent aux Parisiens de bénéficier des plaisirs des terrasses en plein mois de janvier.

La célébrité du Quartier Latin et de Saint-Germain-des-Prés, d'où Jean-Paul Sartre lança la philosophie existentialiste – philosophie qui a imprimé sa marque sur de nombreuses attitudes modernes – a valu à cette partie de Paris de devenir le haut lieu des « safaris » touristiques, qui partent chaque matin de la place de la Madeleine et d'autres bases. Les occupants des bus panoramiques à deux étages observent pendant un moment la place Saint-Germain-des-Prés et son église médiévale, font une halte au palais du

Luxembourg – *palazzo* florentin édifié dans Paris pour Marie de Médicis, qui avait la nostalgie de son pays natal – avant de regagner leurs bases de la rive droite.

Paris est habitué aux touristes : la ville se pare et s'embellit pour les attirer et les retenir. La nostalgie romantique se dégage d'elle comme un somptueux parfum, et ce nulle part davantage que dans les quartiers compris entre l'Opéra et l'Arc de Triomphe. C'est là le domaine des larges boulevards, des places magnifiques et des édifices massifs et richement ornés, souvenirs du rêve impérial incroyablement romantique qui balaya l'Europe du XIXe siècle, du vieil Empire des Habsbourg aux rivages de l'Atlantique. Il est surprenant que cet étalage de grandeur impériale et d'ostentation bourgeoise ait suivi de si près une révolution qui avait pour objectif d'établir pour tous la liberté, l'égalité et la fraternité. Il est encore plus surprenant que dans le monde moderne et démocratique qui est le nôtre nous soyons sous l'envoûtement d'un monde qui se fondait si ouvertement sur l'inégalité et les privilèges.

Mais doit-on vraiment s'en étonner ? Napoléon, qui savait percevoir les aspirations d'un peuple, savait aussi que le grandiose plaît à l'homme : dès qu'il fut assuré de sa position à la tête de la France, il entreprit l'édification de monuments splendides. La Madeleine devait être un temple grec dédié à ses soldats et, à des fins de symétrie, il modifia la façade du vieux Palais-Bourbon, de l'autre côté de la Seine, pour qu'elle aussi rappelât les temples grecs. Il ordonna également l'érection de l'Arc de Triomphe : celui-ci ne devait toutefois être achevé que pour voir passer sous ses arches le corps de l'Empereur, que l'on avait ramené de Sainte-Hélène des années après sa mort.

Après la Tour Eiffel, ce magnifique arc de triomphe situé sur l'ancienne place de l'Etoile (aujourd'hui place du Général-De-Gaulle) est le plus important monument de Paris. Il évoque la splendeur du bref empire napoléonien et il est plus grand que tous les arcs de triomphe jamais érigés par les Romains. En outre, il donne aussi sur une avenue unique : l'avenue des Champs-Elysées est la plus grandiose au monde, et sans doute la plus célèbre. Dans l'Antiquité grecque, l'Elysée était un état de bonheur idéal ainsi que la demeure des élus, après qu'ils s'étaient débarrassé de leur dépouille mortelle. Les Champs-Elysées n'ont rien de mort, cependant. L'avenue est parcourue par un flot incessant de véhicules, les cafés sont remplis à toute heure du jour et de la nuit, les affiches des cinémas proclament leur message d'amour et d'aventure, les bureaux des compagnies aériennes ouvrent leurs vitrines sur des mondes exotiques, l'élégant restaurant Fouquet's fait face aux néons d'une chaîne internationale de hamburgers, et les lumières de l'avenue se reflètent sur les vitres des voitures les plus chères du monde.

Vous n'êtes pas obligés de faire autre chose que de vous asseoir : les Champs-Elysées sont par eux-mêmes une grande production digne d'Hollywood, et vous êtes l'un des spectateurs qui attendent que le spectacle commence. La chose amusante à propos des Champs-Elysées est qu'il ne s'y passe rien, sauf en des occasions particulières, lorsque l'avenue devient la scène de parades militaires ou de manifestations de joie, de douleur ou de mécontentement nationaux.

Ceux qui ont dessiné Paris avaient tous en commun ce goût du grand spectacle et, pourtant, lorsque Gabriel dressa les plans de la place de la Concorde, au bas des Champs-Elysées, il ne se doutait pas du genre de spectacle qui viendrait animer sa grande place. Du côté des Tuileries, une guillotine fut dressée et des gradins furent installés pour l'exécution de Louis XVI et de Marie-Antoinette, puis pour celle des premiers chefs de la Révolution : les premiers rangs étaient occupés par les « tricoteuses » qui reçurent ce sobriquet, parce qu'elles n'interrompaient pas leur paisible activité lorsque les têtes roulaient au bas de l'échafaud.

Lorsqu'on sait le situer, cet endroit près de l'entrée des Tuileries où le bourreau exécutait son œuvre sinistre ne peut manquer de faire frissonner le passant. Les pires déments sont les déments raisonnables, et dans le cas qui nous préoccuppe ils devinrent eux-mêmes des victimes avant que le cauchemar ne prît fin. Mais un coup d'œil à travers les grilles du jardin des Tuileries suffit à dissiper ces songes morbides : on y voit les enfants jouer autour de la fontaine, et les mères qui les surveillent prennent garde à ce qu'ils ne tombent pas à l'eau. Les impressionnistes ont donné de charmants tableaux des Tuileries, tableaux exposés au musée du Jeu de Paume, rue de Rivoli, avant leur transfert dans le nouveau musée d'Orsay. Ils représentent des hommes et des femmes assis sur des chaises métalliques (peu confortables !) qui boivent du café ou de la bière et surveillent leurs enfants qui s'amusent au tourniquet. La scène n'est pas très différente aujourd'hui; le jardin des Tuileries est surtout fréquenté par les mères et leurs enfants, et même si les statues du jardin représentent des femmes peu vêtues, les mamans ne semblent guère s'en effaroucher.

Il est difficile de dire d'où viennent ces mamans des Tuileries, car au nord du jardin s'étend le quartier le plus chic de Paris : dans les vitrines des bijouteries, des boutiques de haute couture ou des parfumeries de luxe, des notes discrètes vous apprendront que les objets qui s'y vendent ne sont pas destinés à tout un chacun, mais sont réservés aux personnes du plus haut rang, ou à tout le moins à celles qui disposent d'une solide fortune.

La plupart des Parisiens ne font pas leurs achats dans ce quartier, mais se rendent pour cela sur les Grands Boulevards percés par le baron Haussmann : au siècle dernier, on s'y promenait et l'on y rencontrait discrètement des femmes; ces grands boulevards sont aujourd'hui un centre commercial fort populaire.

Les grands magasins de Paris ressemblent à une gigantesque malle que l'on ne parvient pas à fermer. Les articles débordent sur les trottoirs, sur des étals où l'on vend tant de produits différents que l'on se demande s'il en peut rester à l'intérieur des magasins. Des camelots font des démonstrations de machines à peler les pommes de terre, de liquides permettant d'enlever les taches sur du cuir, de jouets mécaniques, de boîtes à outils, de poussettes pliantes et d'innombrables autres gadgets. Les passants – et il n'en manque jamais – ne peuvent s'empêcher de s'arrêter pour regarder; ce faisant, ils se souviennent probablement que s'ils n'ont pas besoin d'un fer à friser, il leur faut absolument une nouvelle robe de chambre : aussi pénètrent-ils dans la caverne d'Ali Baba.

Si les grands magasins sont appréciés pour certains achats – au moment des fêtes de fin d'année notamment –, lorsqu'il s'agit de garnir le réfrigérateur rien ne saurait pour les Parisiens remplacer les petites épiceries de quartier ou les marchés. Si le grand marché des Halles a disparu, ne laissant derrière lui que des restaurants dont certains sont excellents, chaque arrondissement possède encore ses petits marchés de plein air. L'alimentation est censée y être moins chère que dans les magasins, et les produits y sont plus frais – tout au moins est-ce ce que l'on croit généralement. Les rangées d'étals regorgeant de fruits et légumes, de poissons et de fromages, de volailles et de lapins attirent tout autant les visiteurs que les Parisiens eux-mêmes. Les marchés et foires de toutes sortes sont nombreux à Paris : marché aux fleurs (et, en fin de semaine, marché aux oiseaux) de l'île de la Cité, marchés du livre ou de l'ameublement, sans oublier le plus célèbre d'entre tous, le marché aux puces de Saint-Ouen.

Ce dernier s'étend sur une vaste surface, et l'on y trouve tout, des mégots de cigarettes aux belles antiquités. Certains s'y rendent par curiosité, d'autres sont des acheteurs professionnels. On peut les voir qui discutent avec les propriétaires des stands en buvant un café dans un coin de la « boutique ». Certains y vont pour faire des affaires, d'autres espèrent y dénicher l'oiseau rare, quelque Delacroix inconnu ou une lettre inédite de Madame de Sévigné. Mais ce qui rend les Puces si romantiques, c'est l'idée que ce marché est le réceptacle de millions de vies exprimées dans leurs possessions terrestres. A qui donc pouvait bien appartenir cette commode aux incrustations de cristal, ou cette jambe de bois bottée de nacre ? Le marché aux Puces est la vitrine de la vie des gens autant que celle de Paris lui-même.

Des dizaines de saynètes représentent aux yeux du monde la vie parisienne : pêcheurs qui attendent patiemment une prise aléatoire au bord de la Seine, cracheurs de feu qui font la joie des foules assemblées devant le centre Georges Pompidou, faune pittoresque qui peuple les nuits du bois de Boulogne, élégantes qui promènent leurs chiens de poche jusqu'au Café de la Paix, passagers qui s'entassent à nouveau sur la plateforme arrière des quelques bus qui font revivre une belle tradition, policiers qui s'époumonent dans leur sifflet à roulette aux carrefours et tentent désespérément de diriger les flots tumultueux de la circulation, ou œuvres d'art en nombre infini qui s'offrent au regard de chacun.

Les visiteurs cherchent toujours à Paris les images, les sons et les odeurs qui nourriront leurs souvenirs. Ils croient encore entendre chanter Edith Piaf, ils se promènent le nez au vent, à l'affût d'effluves de cuisine qui se répandent dans une ruelle pavée, d'une odeur de Gauloise dans un café, de la senteur d'un luxueux parfum dans la rue du Faubourg Saint-Honoré, de l'ambiance nostalgique et humide de la tombée d'un soir d'automne – ce que les Parisiens appelaient autrefois « l'heure bleue ». Ils cherchent à se pénétrer de ce qui fait l'essence de la ville, dont ils trouveront peut-être l'expression sur le tronc d'un platane, dans l'eau fraîche d'une fontaine, dans le brouhaha d'une brasserie ou dans la saveur anisée d'un apéritif.

Plus que toute autre capitale au monde, Paris laisse au visiteur l'impression d'une ville dans laquelle œuvre un esprit logique. Henri IV, Napoléon, Louis-Philippe et Napoléon III ont tous su employer des architectes et des urbanistes de talent pour modifier le visage de la ville, de la place des Vosges à la place de la République, des Grands Boulevards à la place de la Concorde, des Champs-Elysées au bois de Boulogne.

Le Paris du futur prend déjà forme dans les gratte-ciel du quartier de la Défense ou au cœur de Montparnasse. Les voies sur berge permettent aux flots des automobiles de passer à vive allure devant le front de Seine (à certaines heures tout au moins), et le Centre Pompidou a permis l'éclosion de concepts nouveaux dans le domaine des galeries d'art et des centres culturels.

L'échelle et l'enthousiasme de ces projets est d'inspiration romantique, mais leur exécution est marquée au sceau de l'esprit cartésien. Le public parisien sera finalement seul juge de la valeur et de la portée de ces réalisations. Dans l'intervalle, elles donnent aux visiteurs une vision contrastée d'un Paris mille fois rêvé.

LE VIEUX PARIS

Dans une ville de grande richesse historique comme Paris, le passé est souvent enseveli sous le poids des siècles, mais malgré les effets de quelques moments de frénésie iconoclaste, certaines parties de la ville ancienne sont demeurées intactes : tout du moins la transformation de leur aspect est-elle davantage le résultat d'un processus inéluctable de vieillissement que celui de l'action des démolisseurs.

Les quartiers les plus anciens sont situé au nord et au sud de l'île de la Cité. Les religieux y bâtirent des monastères dans l'enceinte de puissants remparts qui comptaient soixante-sept tours et six portes, et dont on peut encore voir des vestiges dans la rue des Jardins-Saint-Paul. Les remparts érigés par Philippe Auguste, couraient du Louvre – où il fit aussi bâtir une forteresse – jusqu'au-delà de l'île Saint-Louis.

Rive Gauche, les ruelles tortueuses du quartier Saint-Séverin évoquent toujours l'atmosphère du Paris d'Héloïse et d'Abélard. Après la dispute qui opposa ce dernier aux moines de Notre-Dame, de nombreux étudiants désertèrent avec leurs maîtres l'île de la Cité pour aller suivre son enseignement sur la Rive Gauche. Ils se regroupèrent autour des églises Saint-Julien-le-Pauvre et Saint-Séverin; les galeries qui entourent les charniers médiévaux n'ont guère changé depuis l'époque d'Abélard.

Les noms des rues sont révélateurs du caractère de leurs occupants du temps jadis. Dans la rue de la Parcheminerie vivaient des écrivains publics et des scribes; dans la rue de l'Ecole-de-Médecine les chirurgiens pratiquaient toutes sortes d'opérations qui ne faisaient pas appel à l'anesthésie (celle-ci restait encore à inventer) ! Les étudiants britanniques étaient regroupés dans la rue des Anglais : comme d'autres étudiants venus de toute l'Europe, ils avaient fait le voyage à pied ou à cheval pour suivre les préceptes des professeurs français, dont la renommée ne connaissait pas de frontière.

Ces rues sont aujourd'hui bordées de restaurants exotiques – chinois, arabes ou indiens – et de caves où les traditionnelles chansons d'étudiants permettent de retrouver une partie de l'ambiance du Paris d'autrefois.

Ce quartier était le point de départ des pèlerinages à Saint-Jacques-de-Compostelle : les églises et les monastères assuraient vivres et logis aux pèlerins avant leur long voyage. L'hôtel de Cluny, bâti sur les ruines de thermes romains, devint un important quartier général de ces fidèles. Marie Stuart fut l'une des hôtesses de marque de Cluny.

De nombreux pèlerins longeaient certainement la rue Mouffetard; avec ses vieilles maisons, ses vieilles enseignes et les étals qui l'envahissent le matin, elle a toujours un air moyenâgeux, et nous rappelle l'époque où les camelots vantaient leurs articles dans les rues, et où des hommes venus de tous pays se rassemblaient avant de faire route vers l'Espagne.

Au nord, de l'autre côté de l'île Saint-Louis, se dresse un autre quartier ancien, tout de ruelles et de maisons croulantes que les touristes ne visitent que rarement : c'est le Marais, qui connut une grande vogue au temps d'Henri II – ce dernier fut tué dans un tournoi dans la rue Saint-Antoine – et sous Henri IV qui fit bâtir la place Royale (l'actuelle place des Vosges). Henri IV, dont les conquêtes féminines s'expliquent peut-être par le refus de la reine Marie de Médicis de vivre auprès de lui place Royale, voulut donner au Marais plus d'éclat qu'à tous les autres quartiers de Paris. La place Royale devint la scène de magnifiques parades et spectacles, le lieu de ralliement des coquettes et le champ clos des duellistes. Les nobles étaient les seuls occupants des demeures – qui paraissent aujourd'hui un peu tristes et négligées – situées au-dessus des arcades où vécurent Richelieu et madame de Sévigné.

Les documents sur l'histoire de Paris durant cette période et jusqu'à la Belle Epoque abondent au musée Carnavalet, dans la rue de Sévigné toute proche. De nombreuses pièces des maisons alentour ont été transférées dans le musée; elles décrivent plus précisément que ne sauraient le faire les mots la vie de ceux qui les occupaient autrefois. Le Marais fut abandonné par la haute société après la Révolution, et ses rues possèdent aujourd'hui un charme désuet qui siérait parfaitement aux fantômes de ceux qui les fréquentaient. De nombreuses maisons sont actuellement rénovées, et ces travaux auront peut-être pour effet de sauver pour la postérité une période importante de l'histoire de Paris.

La frénésie de reconstruction a pourtant détruit dans une large mesure l'atmosphère du véritable centre du vieux Paris, l'île de la Cité, mais Notre-Dame et la Sainte-Chapelle évoquent encore le Paris du Moyen Age.

Les murs de la grande cathédrale, qui ont récemment bénéficié de travaux de ravalement, se montrent à nouveau tels qu'ils apparaissaient lorsque Marie Stuart fut couronnée reine de France, par son mariage avec François II. L'architecture et les innombrables sculptures qui ornent sa façade, ses tours et ses flèches, représentent le fruit du travail de milliers de maçons, sculpteurs, charpentiers et ferronniers, dont les efforts individuels conjugués ont donné sa pleine expression à l'esprit du Moyen Age.

A l'intérieur, les colonnes massives qui soutiennent la toiture s'élèvent vers les galeries et les vitraux qui baignent la nef d'une glorieuse lumière. Lorsqu'il se tient dans cet immense monument élevé à la foi en Dieu et en Paris, le spectateur est transporté dans le passé jusqu'aux grands événements qui se produisirent en ces lieux. Philippe Auguste y rapporta la Couronne d'Epines de Venise; Henri VI d'Angleterre fut proclamé roi de France à l'autel de la cathédrale. Henri IV, avant sa conversion au catholicisme – « Paris vaut bien une messe » – resta sur les marches du parvis lors de son mariage, car il n'était pas autorisé à pénétrer dans Notre-Dame. Napoléon y fut sacré empereur, et après la Deuxième Guerre mondiale, les leaders du monde libre s'y assemblèrent pour célébrer la victoire et affirmer leur foi dans la liberté de l'humanité.

Par opposition à Notre-Dame, qui exprime la solennité de l'engagement de l'homme vis-à-vis de lui-même et de son prochain, la Sainte-Chapelle est un symbole des joies de la vie. Cet élégant édifice est un hymne à la lumière et à la couleur : ses vitraux sont soutenus par des piliers et des arcs-boutants qui semblent trop fragiles pour s'être si bien conservés pendant sept siècles.

A BAS LA MONARCHIE !

Le 14 juillet, Paris se consacre tout entier aux réjouissances populaires. Les places et les rues de chaque arrondissement sont pavoisées de banderoles tricolores. Les drapeaux claquent au vent du haut de leurs mâts et aux balcons des immeubles; une messe est tout spécialement dédiée à l'événement en la cathédrale Notre-Dame. On danse dans les rues pour célébrer la prise de la Bastille et la libération des sept prisonniers de la forteresse.

La prison fut détruite par les insurgés, et son emplacement n'est plus indiqué que par une colonne. Un certain Palloy confectionna des souvenirs à partir des pierres, serrures, gonds et autres éléments de la Bastille, et il les expédia dans toute la France pour annoncer la nouvelle de ce grand moment de liberté que fut le 14 juillet 1789.

La chute de la Bastille ne suffit cependant pas à guérir la France de tous ses maux. Les vivres manquaient, et la rumeur courut bientôt selon laquelle le roi faisait bombance à Versailles : le peuple décida de ramener Louis XVI à Paris. Il fut placé en « résidence surveillée » au palais des Tuileries (qui fut détruit sous la Commune). La loi et l'ordre étaient battus en brèche, des vandales se mirent à détruire certains des trésors accumulés par les rois de France, et des hommes qui avaient jusqu'alors représenté l'autorité furent tués, leur tête étant ensuite exhibée au bout de piques. Une commune se constitua à l'Hôtel de Ville, et Danton incita une bande de brigands à massacrer les moines du couvent des Carmes. Une cérémonie en l'honneur de la Déesse de la Raison fut célébrée à Notre-Dame, avec des danseurs de l'Opéra. Les émeutiers détruisirent des statues royales dont celle d'Henri IV sur le Pont-Neuf et celle de Louis XIV sur la place Vendôme.

Une partie du gouvernement de la Convention – les Montagnards – voulait tuer Louis XVI, mais d'autres – les Girondins – voulaient l'épargner. Au milieu de cette agitation, Charlotte Corday, qui admirait les Girondins, pénétra chez le révolutionnaire Marat – rue de Hautefeuille, sur la Rive Gauche – et le poignarda dans son bain.

La guillotine, « machine à décapiter philanthropique » inventée par le docteur Guillotin, fut installée tout d'abord sur ce qui est maintenant la place de la Nation, puis sur la place de la Concorde.

Le roi fut emprisonné au Temple (édifice qui fut ensuite rasé pour éviter qu'il ne devînt un lieu de pèlerinage), et c'est de là qu'il partit pour son dernier voyage qui le mena sur la place de la Concorde, alors appelée place de la Révolution. Le dernier trajet dans Paris de Marie-Antoinette commença à la Conciergerie, dans l'île de la Cité. Son procès s'y était déroulé, et elle y avait été condamnée à mort. Elle avait trente-huit ans, et elle sut se montrer courageuse devant les foules assemblées sur le parcours qui la conduisait à l'échafaud; si certains la huaient, d'autres demeuraient silencieux, conscients de l'horreur du moment, horreur qui allait bientôt se retourner contre les révolutionnaires eux-mêmes.

La monarchie n'était plus, et les querelles entre les nouveaux dirigeants s'intensifièrent tandis que le peuple criait famine. Hébert, Danton et Desmoulins se trouvèrent pris à leur propre piège. Près de mille quatre cents têtes roulèrent dans le panier de son en six semaines, sous la Terreur : le chef de ce mouvement, Robespierre, fut finalement arrêté et décapité sur la place de la Concorde.

De grandes réjouissances suivirent, à la pensée que la terreur révolutionnaire était terminée; on dansa dans les rues, et dans les salles de bal qui apparurent alors fut introduite une nouvelle danse venue d'Autriche, la valse. Les boulevards s'emplirent de monde et les vêtements à la mode cessèrent d'être une invitation à l'emprisonnement de ceux qui les portaient.

L'ère des troubles n'était toutefois pas achevée. Les émeutes et la révolution se poursuivirent. Le peuple n'hésitait plus à se moquer des politiciens, et l'on se prit à souhaiter l'arrivée d'un souverain tout-puissant apte à ramener la normalité. Lorsqu'il se présenta en la personne d'un jeune lieutenant corse, le peuple se rallia à lui avec une loyauté et une énergie qui submergea l'Europe et détruisit les fondements du système monarchique.

Dans le Paris moderne, la Révolution ne représente qu'une scène de la pièce intitulée *l'Histoire de Paris*. Le nombre des tués lui-même n'a plus la même importance à une époque où l'automobile est plus meurtrière que la guillotine et où les victimes de guerres se comptent par millions. Il n'en reste pas moins que comme tous les moments de grande violence, la Révolution a laissé derrière elle ses fantômes, qui hantent les lieux où cette violence s'est déchaînée; elle a aussi laissé le témoignage plus heureux d'un dévouement à la préservation des choses de valeur : c'est ce dévouement qui a permis de sauver pour la postérité la culture de la France et de sa capitale.

Parmi ces objets et ces monuments de valeur figure le Louvre qui, grâce à certains membres de l'Assemblée devint le refuge des œuvres d'art des demeures aristocratiques qui étaient alors soumises au pillage et au vandalisme. Le couvent des Petits-Augustins devint la célèbre Ecole Nationale Supérieure des Beaux-Arts de Paris, où tant des plus grands peintres et sculpteurs du monde ont étudié.

« A bas la monarchie ! », s'écriaient les foules révolutionnaires, mais le peuple de Paris comme celui de la France allait accorder ses suffrages à deux empereurs et à un autre roi avant que la République ne fût établie.

L'ŒUVRE DE NAPOLEON

Les succès militaires de Napoléon Bonaparte ne l'empêchèrent pas de percevoir que la gloire est éphémère, et que les hommes laissent un souvenir dans l'histoire par les monuments et les œuvres d'art qu'ils lèguent à la postérité. Il entreprit donc de remodeler le visage de Paris et d'encourager une culture napoléonienne qui devait pour toujours s'identifier à son règne.

Grâce à cette ambition, le monde a pu ajouter un style nouveau à l'histoire du mobilier, du costume et de l'art, et Paris possède des monuments et des ponts qui sans lui n'eussent sans doute jamais été construits.

Les premiers signes de ce souci de la postérité, et peut-être d'une conscience de sa mortalité, apparurent chez Bonaparte à son retour de la campagne d'Egypte qui avait vu les vaisseaux de Nelson couler la flotte française en rade d'Aboukir.

Confronté à des revers politiques à Paris, Napoléon entreprit de persuader les Parisiens du caractère glorieux de son expédition. Autour de la place du Caire, les rues reçurent des noms égyptiens et des motifs égyptiens apparurent sur les immeubles. Rue de Sèvres, une fontaine représentait un paysan égyptien, et le fils de Joséphine, Eugène de Beauharnais, décora entièrement une maison dans le style égyptien.

L'œuvre d'amélioration de Paris ne commença véritablement que lorsque Napoléon fut devenu Premier Consul, après avoir survécu à un attentat. Il était maintenant le maître de la France et de ses finances. Il employa les architectes Percier et Fontaine, et avec eux il entreprit de bâtir une cité qui perpétuerait son souvenir.

Il acheva tout d'abord la cour Carrée du Louvre et remplit le palais du butin de ses campagnes victorieuses. Après avoir vaincu les Autrichiens en Italie, il rapporta à Paris des statues romaines et des tableaux de la Renaissance, ainsi que les célèbres chevaux de bronze de la basilique Saint-Marc de Venise; ces derniers furent par la suite rendus à l'Italie.

Après Austerlitz, il fit ériger l'un des plus charmants arcs de triomphe du monde, au Carrousel, entre les Tuileries et le Louvre, puis il fit percer la rue de Rivoli qui, avec ses arcades, est aujourd'hui l'une des plus élégantes rues commerçantes de Paris.

En outre, et même si ces ouvrages ne sont habituellement pas accessibles aux visiteurs, Napoléon améliora le système d'égouts et d'alimentation en eau de la ville. Pour le Parisien moyen, les batailles, le grondement du canon, les vallées emplies de fumée où chargeait la cavalerie, les cris des blessés et les râles des mourants étaient aussi éloignés que les récits d'aventures. Les résultats de ces succès militaires, eux, étaient bien réels. Ils rappelaient aux Parisiens la raison et la source de leur prospérité nouvelle. Deux ponts construits sur la Seine à cette époque portent le nom de batailles importantes : le pont d'Austerlitz et le pont d'Iéna. Des rues et des places furent également rebaptisées en l'honneur de généraux et de leurs victoires.

Place Vendôme, fut érigée une colonne dont le bronze provient de mille deux cents canons pris à l'ennemi à la bataille d'Austerlitz. Une statue de Napoléon vêtu en empereur romain fut placée à son sommet. Cette statue fut par la suite remplacée par une statue d'Henri IV, puis par une fleur de lys, mais la Troisième République rétablit dans ses droits une œuvre conforme à l'original qui veille aujourd'hui sur Paris du sommet de son piédestal haut de plus de quarante mètres.

Dans ses efforts pour changer le monde et pour apporter un mode de vie différent de celui de l'Ancien Régime, Napoléon adopta les idées des Romains et des Grecs de l'Antiquité. Comme tous ceux qui partageaient son idéal d'une renaissance de la France, il voyait chez les Anciens les vertus qui apportent aux nations la grandeur : la simplicité, la pureté, le dévouement, le patriotisme et la foi. Notre-Dame fut de nouveau consacrée et Napoléon devint empereur. En plaçant lui-même la couronne sur sa tête, il montra clairement que c'était bien lui qui régnait et non l'Eglise. En l'honneur de ses soldats, il ordonna la construction en haut de la rue Royale d'un temple de style grec : l'église de la Madeleine est aujourd'hui l'un des plus importants monuments parisiens. Les nobles vertus des Romains furent célébrées dans les tableaux de David, qui peignit également le *Sacre de Napoléon* et d'autres événements marquants de l'épopée napoléonienne, tels que la remise des aigles impériales aux régiments.

Les monuments du Paris napoléonien constituent le testament de l'une des personnalités les plus remarquables et les plus intrigantes de l'histoire, d'un homme férocement ambitieux et romantique, impitoyable et généreux, qui pouvait dire que nul soldat ne l'avait jamais maudit, que nul n'avait jamais été servi plus loyalement par ses hommes et en être convaincu.

La mémoire de l'Empereur n'est nulle part plus présente qu'aux Invalides. On y trouve les uniformes, les armes et les étendards de la Grande Armée, ainsi que le manteau gris de l'Empereur et le modeste mobilier rapporté de Sainte-Hélène. Dans l'église du Dôme repose le corps de Napoléon; la crypte est entourée de statues représentant chacune de ses campagnes, de la campagne d'Italie à Waterloo. A ses côtés gît le roi de Rome, ce fils sur qui Napoléon faisait reposer ses espoirs de fonder une dynastie.

ARTISTES ET ECRIVAINS

Le creuset des idées post-révolutionnaires qui balayèrent l'Europe du XIXe siècle était une communauté d'artistes et d'écrivains rassemblés à Paris, sur les pentes de la butte Montmartre.

Une colonie d'hommes et de femmes épris d'art et de création, qui allaient modifier les formes établies de l'expression artistique, vivaient et échangeaient des idées dans les cafés – tels que le Guerbois, le Chat Noir d'Aristide Bruant et le Lapin Agile, au sommet de la Butte – et travaillaient dans les vieilles maisons qui bordaient les rues du pied de la colline. L'inauguration du Moulin Rouge, en 1889, marqua la naissance d'un nouveau lieu de divertissement et fournit à Toulouse-Lautrec le thème de l'œuvre de sa vie. Cet aristocrate au corps contrefait immortalisa ce cabaret en peignant ses grandes figures : la Goulue, Jane Avril et Valentin le Désossé.

Parmi les autres artistes qui fréquentaient le quartier, mentionnons Degas, le dandy qui peignit les danseuses de l'Opéra et les chevaux de l'hippodrome du bois de Boulogne, et Manet qui avait quelque temps auparavant choqué Paris avec son tableau représentant deux hommes en chapeau partageant un *Déjeuner sur l'herbe* avec des jeunes femmes nues.

Si de nombreux peintres vivaient à Paris, leur inspiration provenait de la nature – tout du moins le croyaient-ils. En fait, les Impressionnistes – car telle était l'appellation qui leur avait été donnée par dérision – fondaient leurs idées sur une théorie née du bouillonnement de la vie intellectuelle parisienne. La science connaissait alors une grande vogue, et qu'y avait-il de plus scientifique que l'explication de la vision considérée comme un impact de particules lumineuses reflétées par les objets sur la rétine ? La peinture des Ipressionnistes reposait donc sur la création d'images au moyen de petites taches et touches de couleur : la fin logique de cette méthode apparut dans les tableaux de Seurat, le peintre pointilliste du célèbre *Dimanche d'été à la Grande Jatte*. Après avoir été fort mal accueillis, les Impressionnistes firent la joie des collectionneurs. Renoir était le plus recherché d'entre tous : ses tableaux représentant des femmes rayonnantes, aux formes généreuses, répondaient tout à fait aux goûts des hommes de la Belle Epoque.

Si les peintres œuvraient à la représentation des aspects de la nature que la nouvelle bourgeoisie pouvait pleinement apprécier (ceci est d'ailleurs toujours vrai, si l'on pense au succès remporté par les magnifiques collections du nouveau musée d'Orsay), les écrivains de cette période exprimaient une réalité plus sombre. Les modes de pensée libéraux leur permettaient d'explorer des thèmes jusqu'alors jugés impropres à tout traitement écrit. Le précurseur de ces écrivains avait été Balzac qui avait exploré les moindres recoins de la vie parisienne : on peut encore voir sa maison de la rue Raynouard, qui contient ses meubles et des « reliques » balzaciennes. Zola lui succéda : les romans de ce travailleur infatigable montraient la vie de gens qui n'avaient jamais auparavant été considérés comme pouvant constituer le sujet d'œuvres de fiction. Dans *Nana*, il suivit la carrière d'une fille des bas quartiers devenue demi-mondaine, à l'instar de celles que l'on trouvait sur les Grands Boulevards du baron Haussmann.

D'autres écrivains, tels que Maupassant et Proust, menaient la vie agréable et brillante des hommes de la Belle Epoque, tout en examinant cette vie avec une objectivité critique. Maupassant fut victime de ses excès; il mourut dans un asile, atteint par la syphilis. Proust tourna le dos à la vie mondaine, et vécut en reclus dans sa chambre du 102, boulevard Haussmann. La brillante vie artistique et mondaine de Montmartre et de Paris qu'avait permise une liberté nouvelle s'accompagna de son lot de tragédies, dont ceux qui avaient ouvert la voie de l'art moderne furent souvent les premières victimes : Modigliani, Pascin et Van Gogh eurent des destins tragiques; Utrillo qui, mieux que tout autre, avait su traduire la scène montmartroise, mourut alcoolique et drogué; Toulouse-Lautrec fut tué par la boisson.

En 1914, Montmartre avait cessé d'être un véritable pôle artistique et était devenu une sorte de foire de la bohème à l'usage des touristes. Les cabarets aux noms aussi pittoresques que le Paradis (dont les employés étaient costumés en anges) ou l'Enfer (où l'on était servi par des diablotins) se mirent à proliférer comme des champignons. Les filles de joie paradaient sur les trottoirs et promettaient au passant toutes sortes de divertissements exotiques, tandis que la place du Tertre se remplissait de tâcherons de la peinture attendant les touristes dont ils exécuteraient le portrait. Les artistes et les écrivains avaient quitté la Butte pour Montparnasse.

C'est là que Picasso déchira la réalité en morceaux, qu'il réarrangea selon ses conceptions. A force de copier l'œuvre de Dieu, les artistes voulaient maintenant devenir eux-mêmes le Créateur, en modelant la vie selon les formes imprimées par leur propre subjectivité. Braque marcha dans les traces de Picasso, Matisse griffonnait ses glorieuses arabesques, Chagall donnait vie à ses visions russes. La vitalité créatrice de Paris ne connaissait pas de bornes, et des milliers d'étudiants venus du monde entier affluaient pour boire à la source des ateliers de la Grande-Chaumière, de Colarossi, de Julian et des Beaux-Arts.

Ils espéraient y apercevoir ou tout au moins respirer le même air que les géants de l'art moderne, mais ceux-ci s'étaient déjà dispersés, comme l'avaient fait les artistes montmartrois de la génération précédente. Cette fois, les peintres partirent pour la Provence, où ils menèrent séparément leurs vies créatrices.

Montparnasse se dirige aujourd'hui vers un avenir d'une nature différente; la Tour, haute de ses cinquante-six étages, se dresse sur l'emplacement de l'ancienne gare Montparnasse, et d'autres immeubles modernes se pressent autour d'elle comme autant de preuves tangibles que les idées nouvelles lancées il y a cinquante ans sont maintenant acceptées par tous et que le monde nouveau qu'envisageaient les pionniers de l'art moderne est maintenant devenu réalité.

LA SEINE

Le fleuve, qui traverse Paris d'est en ouest, semble tout à coup ne pas vouloir quitter la ville : il revient sur lui-même avant de repartir vers la Normandie et la Manche. Une longue histoire d'amour lie Paris et la Seine. Les premiers Parisiens s'intallèrent sur l'île de la Cité, qu'ils défendirent contre les barbares et les Normands.

Il y a un siècle encore, seuls de rares ponts reliaient les deux rives du fleuve, et la Seine n'a pas été comprimée entre des entrepôts et des immeubles qui l'eussent réduite à l'état de simple canal dans un environnement urbain. En signe de gratitude pour cette considération, la Seine a apporté jusque dans Paris un certain air campagnard, et ses flots paisibles ont transporté les péniches chargées des produits des fermes et des vignobles de France.

A leur entrée dans la capitale, ces péniches déposent leurs barriques de vins de Bourgogne, de Bordeaux et de Champagne à la Halle aux Vins de Bercy. Plus loin sur les quais, on trouve des piles de bois des Vosges, de matériaux de construction et de poutres métalliques, ainsi que des conteneurs de produits manufacturés de toute la France. C'est le port de Paris, et la Seine achemine vers la capitale les matériaux et les provisions qui la font vivre.

Si l'on descend la Seine jusqu'au pont d'Austerlitz, construit en l'honneur de la plus grande victoire de Napoléon, on voit bientôt sur la rive gauche les arbres du Jardin des Plantes. Créé à l'époque de Louis XIV pour la culture et la préservation de multiples essences, le Jardin fit par la suite l'acquisition d'un zoo qui fut installé au moment de la Révolution : ses animaux furent transférés de la ménagerie de Versailles.

Un peu en aval, l'île Saint-Louis est l'un des quartiers les plus séduisants de Paris, avec ses immeubles du XVIIe siècle. Les rues étroites et paisibles, les façades de style classique aux élégantes proportions, les portes massives ornées de clous confèrent à l'île une atmosphère de calme que l'on ne retrouve pas sur les boulevards animés. Théophile Gautier, Baudelaire, Wagner et le peintre anglais Sickert vécurent tous dans l'île à un moment de leur vie; ce quartier idyllique est toujours un hâvre de paix fort apprécié par les artistes et les écrivains dont le talent est suffisamment reconnu pour leur permettre de payer des loyers parfois astronomiques.

L'île Saint-Louis est comme un canot escortant le grand navire qu'est l'île de la Cité. Les flots de la Seine se divisent pour la laisser passer. Le bras du nord glisse sous le pont Saint-Louis et l'autre passe avec révérence sous le pont de l'Archevêché, entre les hautes murailles cimentées qui guident son parcours devant Notre-Dame.

A l'extrémité de l'île, au-delà de la proue triangulaire du square du Vert-Galant, les deux bras de la Seine se retrouvent. Les visages grimaçants du Pont-Neuf observent avec amusement ces retrouvailles qui paraissent symboliser les rencontres humaines qui se produisent à l'ombre propice des arbres.

Les quais de la Seine commencent à cet endroit : sur ces larges terrasses les pêcheurs peuvent rester des heures assis, sans jamais rien prendre. Des couples d'amoureux observent le jeu de la lumière sur l'eau qui coule sous le pont des Arts, le plus simple de Paris; cette passerelle de fer et de bois, dont la construction fut ordonné par Napoléon, mène du vieux Louvre à l'Institut de France.

L'intense circulation qui parcourt les voies sur berge n'autorise plus les flâneries sous les platanes, devant le Louvre qui s'étire comme une interminable frise architecturale, mais dans le calme d'un petit matin ou d'une soirée d'été on peut parfois retrouver un peu de la magie d'autrefois.

En face des Tuileries, les navires amarrés au quai intriguent les visiteurs qui ne connaissent pas leur destination : il s'agit de la piscine flottante Deligny. En été, on peut, si toutefois l'on ne craint pas la foule, s'asseoir au bord d'un bassin d'eau claire entouré de cabines et y admirer le hâle des Parisiennes.

C'est la partie la plus fréquentée des rives de la Seine, et du pont de la Concorde – construit en partie avec des pierres de la Bastille – on jouit d'une vue sur de nombreux grands monuments de Paris. Au nord, sur la butte Montmartre, s'élève la basilique du Sacré-Cœur; plus près, en haut de la rue Royale, l'église de la Madeleine est encadrée par le Crillon et le ministère de la Marine. Sur la gauche commencent les Champs-Elysées, avec les superbes chevaux de Marly juchés sur leurs colonnes, et sur la rive gauche se dresse le Palais-Bourbon, siège de l'Assemblée Nationale.

Le fleuve passe ensuite sous un magnifique pont métallique orné de réverbères et de couronnes de feuilles, métalliques eux aussi : le pont Alexandre III fut bâti à l'occasion de l'Exposition de 1900, en hommage au tsar. L'avenue du Maréchal Gallieni part de ce pont pour aboutir aux Invalides.

Près du pont de l'Alma, qui commémore un épisode de la Guerre de Crimée, sont ancrés les bateaux-mouches qui doivent leur appellation au nom de leur inventeur, monsieur Mouche. Ces larges bateaux panoramiques sont équipés de restaurants, qui permettent d'ajouter les plaisirs de la table à celui d'un agréable trajet touristique sur la Seine.

Plus modestes sont les vedettes qui se glissent entre les grosses péniches : ces vedettes partent du Pont-Neuf et du pont d'Iéna, qui célèbre la victoire de Napoléon sur les Prussiens; dans ce secteur, la Seine coule à l'ombre de la Tour Eiffel qui dresse jusqu'au sommet du ciel sa dentelle métallique.

Selon Jean Cocteau, la tour était aussi importante pour l'image de Paris que Notre-Dame. Elle marque également le point où le fleuve sort du Paris historique, pour se diriger vers la capitale du futur : en effet, après avoir contourné de ses méandres le bois de Boulogne et avoir jeté un dernier regard nostalgique en arrière, la Seine passe devant le quartier de la Défense, dont les tours de verre et d'acier s'élèvent comme un Manhattan en miniature au-dessus de la perspective qui traverse Paris, du Louvre à la Concorde, aux Champs-Elysées et à l'Arc de Triomphe, avant de remonter vers Neuilly.

PARIS ET L'ART CULINAIRE

L'amour de la cuisine commence sur les marchés de Paris, véritables cornes d'abondance qui déversent sur la capitale les produits de la France entière : artichauts de Bretagne, volailles de Bresse, melons de Cavaillon, huîtres de Marennes, langoustes de Roscoff ou daurades de la Méditerranée ...

Selon la tradition, c'est à Catherine de Médicis, femme d'Henri II, que l'on doit le remplacement de la robuste cuisine de l'ancienne France par une véritable gastronomie. A son arrivée d'Italie, elle fit venir des chefs cuisiniers de la cour des Médicis. Elle y avait peut-être été incitée par un énorme banquet qui avait été donné en son honneur en Italie : les convives s'étaient régalés de trente paons, trente-trois faisans, vingt et un cygnes, neuf grues, un nombre aussi impressionnant d'autres volailles ainsi que de chèvres et de porcs entiers.

Qu'il faille ou non l'imputer à son influence, les habitudes alimentaires de la France se modifièrent de façon radicale au XVIe siècle. Au lieu de l'unique couteau et du gobelet d'étain que l'on peut voir sur les gravures du début du XVIe siècle, les tables se garnirent de fourchettes et de cuillers à long manche, ainsi que de nappes et de serviettes. La vaisselle comprenait des articles de verre de Venise, de faïence et de porcelaine de Nevers. Sous le règne de Louis XIV, de nombreux autres raffinements avaient fait leur apparition, et des experts donnaient leur avis sur les plats qui convenaient aux rois et aux reines de France.

Les restaurants publics n'apparurent toutefois qu'au XIXe siècle, après que la Révolution eut détruit les familles aristocratiques et privé ainsi de travail leurs cuisiniers, qui furent obligés de cuisiner pour un public plus large.

L'un des plus anciens restaurants de Paris – et l'un des plus chers – est le Grand Véfour, derrière le Palais-Royal. Après la Révolution, cet établissement fut fréquenté par Napoléon et Joséphine, dont les noms sont gravés sur une plaque de cuivre au dos de leur siège favori. Mentionnons également Lapérouse, cette ancienne demeure des comtes de Brouillevert qui a conservé son ambiance de tapisseries fanées et de salles aux plafonds bas. Maxim's est célèbre dans le monde entier : il perpétue le souvenir de la Belle Epoque et de la *Veuve joyeuse* de Franz Lehar.

La plupart des restaurants de Paris – ils sont plus de huit mille – ne jouissent pas d'une aussi noble lignée; ce sont surtout de petits bistrots dans lesquels le patron et sa femme préparent la cuisine et assurent le service, ou de petits restaurants dirigés par un chef ou un maître d'hôtel qui a appris l'art de la bonne cuisine ou du bon service dans l'un des restaurants ou hôtels les plus célèbres ou les plus somptueux du monde.

Chaque quartier possède ses restaurants propres, dont l'ambiance porte souvent la marque de l'environnement local. Dans les quartiers de l'Opéra, du Palais-Royal et des Champs-Elysées, les restaurants à la mode sont nombreux, mais c'est aussi le cas des cafétérias et des « selfs » qui pourvoient aux besoins alimentaires – nous n'osons dire culinaires – des touristes.

Le Quartier Latin possède lui aussi ses restaurants de renom, mais en raison du grand nombre d'étudiants du monde entier qui le fréquentent, on y trouve aussi toute une gamme de restaurants pratiquant une cuisine très internationale. Les petites rues proches du boulevard Saint-Michel sont bordées de centaines de bistrots et de petits restaurants, où les nappes sont en papier et les menus griffonnés d'une écriture presque illisible.

Dans le quartier de Montparnasse, les restaurants fréquentés dans les années vingt par les artistes et les écrivains d'avant-garde sont encore très nombreux. Située au coin du boulevard Montparnasse, tout près du Luxembourg, la Closerie des Lilas était au XIXe siècle l'un des endroits les plus populaires pour danser et faire des rencontres amoureuses. dans les années vingt, c'était l'un des repaires favoris d'Hemingway. Près du boulevard Raspail, d'élégantes brasseries réalisent grâce aux touristes des bénéfices qui étaient bien maigres quand la clientèle se composait d'artistes désargentés. A Saint-Germain-des-Prés, les noms de Sartre et Simone de Beauvoir continuent d'attirer les visiteurs pour qui l'existentialisme résume tout un mode de vie des années d'après-guerre.

A l'autre bout de Paris, sur la butte Montmartre, d'autres restaurants touristiques exploitent leurs liens avec l'époque où Montmartre était le haut lieu de l'impressionnisme et du post-impressionnisme, cependant qu'au bas de la colline, le long des rues qui mènent à la place Clichy et à la place Pigalle, « le spectacle continue » au Moulin Rouge et autres cabarets, dont la juxtaposition dans ce quartier introduit une note de surréalisme qui résume l'étrange transfiguration de cette partie de Paris.

Malgré les millions de touristes qui viennent chaque année prendre d'assaut les restaurants et les cafés de Paris, certains de ces établissements résistent encore et toujours à l'envahisseur. La cuisine y demeure l'objet de tous les soins, et même si les nappes sont en toile cirée et le menu illisible, peut-être faut-il y voir un signe de ce que les priorités sont respectées.

Ce sens de ce qui est bon, la beauté architecturale, l'art et l'histoire donnent à la ville son caractère unique et quasi magique. Pour les Français, qu'ils soient Parisiens ou Marseillais, Paris exprime toute l'âme de la France, et pour les étrangers la capitale représente et résume tout ce qui est français. Il n'est pas de meilleure façon d'embrasser du regard le grandiose concept de Napoléon et du baron Haussmann qu'en allant à la rencontre de Paris depuis les airs.

THOMANN-HANRY
ON NE JOUE
PAS AVEC LA VIE

Page précédente : la silhouette de la Tour Eiffel se découpe sur les feux d'artifice qui embrasent le palais de Chaillot. Construite de 1754 à 1763 d'après les plans de Jacques-Ange Gabriel en l'honneur de Louis XV et entourée à l'origine de douves, la place de la Concorde *(ci-dessous, ci-contre et page ci-contre)* est la plus grande de Paris. Elle fut transformée par l'architecte Hittorff de 1836 à 1840; sur le côté nord se dressent le ministère de la Marine *(à gauche)* et l'immeuble que partagent l'Automobile Club et l'hôtel Crillon *(en bas à gauche)* qui est séparé du premier par la rue Royale; celle-ci conduit au portique de style grec de l'église de la Madeleine *(en bas au centre)*. Sur le côté est de la place, les larges allées du jardin des Tuileries s'étirent jusqu'au palais du Louvre *(ci-dessous)*, et en son centre se dresse depuis 1836 l'obélisque de Louqsor *(ci-dessous et ci-contre)*, offert à Louis-Philippe par le vice-roi d'Egypte Méhémet-Ali. Les hiéroglyphes qui recouvrent l'obélisque racontent les règnes de Ramsès II et Ramsès III.

L'Hôtel de Ville actuel *(page ci-contre et ci-dessus)* fut construit par Deperthes et Ballu, dans le style Renaissance de l'édifice du XVIe siècle qu'il remplaçait. Achevé en 1882, il comprend plusieurs pavillons reliés entre eux, surmontés de toits d'ardoises aux pentes abruptes et ornés de cent trente-six statues. La place de l'Hôtel de Ville, qui fut le site des exécutions publiques de 1310 à 1830, est reliée à l'île de la Cité par le pont d'Arcole *(ci-dessus)*. *Page ci-contre, en bas :* la large avenue du Président-Wilson est bordée d'arbres sur toute sa longueur. *Pages suivantes :* les arcs-boutants de Notre-Dame, qui rayonnent de l'abside sur le square Jean XXIII, furent construits au XIVe siècle par Jean Ravy.

Le Champ-de-Mars *(page suivante)*, qui s'étend au long de larges allées rectilignes au pied de la Tour Eiffel, était à l'origine un terrain de parades militaires. Le tracé actuel du parc fut supervisé par Formigé, de 1908 à 1928. Le jardin des Tuileries *(en haut)* fut dessiné par Le Nôtre en 1664. Il s'étire sur huit cents mètres entre la place de la Concorde et la place du Carrousel; il est bordé de terrasses arborées, traversé par de larges allées et parsemé de bassins et de plates-bandes aux formes géométriques. Au-delà de l'Arc de Triomphe du Carrousel, on peut voir les toits d'ardoises du Louvre. A l'ouest de Paris, le bois de Boulogne, qui était jadis une vaste forêt, est maintenant un parc de près de neuf cents hectares, dont les allées ombragées bordent des jardins, des cascades et des lacs, dont le Lac inférieur *(ci-dessus)*.

En haut : le pont d'Iéna, construit en 1813, relie les jardins du Trocadéro au quai Branly et à la Tour Eiffel; ci-contre, le pont de l'Archevêché vu de Notre-Dame. *Ci-dessus :* un bateau-mouche bondé sur la Seine. *Page ci-contre :* les tours de bureaux de la Défense, le quartier d'affaires moderne de l'ouest parisien. *Pages suivantes :* le Parc des Princes et les fontaines jumelles de la Porte de Saint-Cloud.

bossard
Ted Bates

NOVOTEL

Page ci-contre : la Tour Eiffel domine le Champ-de-Mars et le carrefour des avenues Rapp et de La Bourdonnais et des rues Joseph-Bouvard et Saint-Dominique; *ci-dessus :* la tour illuminée derrière les statues et les réverbères surchargés du pont Alexandre III. La Tour Eiffel, érigée en deux ans par Gustave Eiffel à l'occasion de l'Exposition internationale qui commémorait le centenaire de la Révolution, était conçue pour exalter le progrès technologique. Son appartenance officielle au paysage parisien date du 10 juin 1889, jour de son inauguration.

Le Grand Palais, qui fait face au Petit Palais sur l'avenue Winston-Churchill, fut construit par Deglane, Thomas et Louvet à l'occasion de l'Exposition universelle de 1900, pour démontrer la grandeur de l'art français. C'est aujourd'hui l'un des principaux lieux d'expositions artistiques de Paris. Le toit de fer et de verre du palais est couronné de sculptures, dont une Victoire de bronze *(ci-dessus)* et des quadriges chargeant *(en haut et page ci-contre)*. *Pages suivantes :* l'hippodrome de Longchamp, dans le bois de Boulogne.

Ci-dessous : la Colonne de Juillet fut érigée sur la place de la Bastille entre 1839 et 1840 en l'honneur des Parisiens morts en juillet 1830 au cours des Trois Glorieuses. Le socle de marbre de la colonne contient les corps des morts, dont les noms sont gravés sur le fût; au sommet se dresse le Génie de la Bastille, dû au sculpteur Dumont. La place de la Concorde *(en bas à gauche)* fut la scène de violences antérieures. La guillotine qui y fut dressée en 1792 fit plus d'un millier de victimes. *En bas à droite :* foules assemblées pour admirer les artistes des rues sur l'esplanade de Beaubourg; *en bas au centre :* le boulevard périphérique à la Porte Maillot. *Ci-contre :* le quai Branly.

La Fontaine des Innocents, située au milieu du square des Innocents *(en haut)*, était à l'origine une loggia surélevée, qui avait été commandée par Henri II et construite en 1547-49 par Pierre Lescot et Jean Goujon dans la rue Saint-Denis. Ses balustrades permettaient aux notables d'assister aux entrées du roi, et à la base de chaque arcade deux robinets fournissaient de l'eau aux habitants du quartier des Halles. La fontaine fut transformée et délace´e en 1786. Le pont d'Iéna *(ci-dessus)*, orné à chaque coin de statues équestres, relie le quai Branly aux jardins du Trocadéro et au Palais de Chaillot, qui fut construit par Boileau, Azéma et Carlu à l'occasion de l'Exposition universelle de 1937. Il abrite maintenant le musée des Monuments français, le musée des Arts et Traditions populaires, le musée de l'Homme, le musée de la Marine et le Théâtre national populaire. *Page ci-contre :* les toits de l'Hôtel de Ville vus de l'île de la Cité, et *(pages suivantes)* le Sacré-Cœur vu du boulevard de la Villette.

RESTAURANT

Esso Super Oil

RTL ouais!
TABAC
CLUB 210
EMBAUCHE
POLICE

Brume et couchers de soleil sur la Seine au pont Alexandre III et au pont des Invalides *(ci-dessus et page ci-contre)*, et *(en haut)* au pont Notre-Dame et au pont d'Arcole, entre les tours de Notre-Dame et l'Hôtel de Ville.

THOREAU

A gauche : le large boulevard de Ménilmontant et le cimetière du Père-Lachaise. Il doit son nom au confesseur de Louis XIV, qui séjournait souvent dans une maison de repos des Jésuites implantée sur le site. En 1763, les Jésuites furent dépossédés du terrain qui fut acquis par la municipalité et devint un cimetière en 1804. Il abrite des sépultures célèbres, dont celles de Molière, Proust, Balzac et Chopin. *En bas à gauche :* les colonnes et les statues de Philippe Auguste et de Saint Louis, érigées par Ledoux à l'entrée du cours de Vincennes; *ci-contre :* sculpture du dôme de l'Ecole militaire, et *(ci-dessous)* la façade finement ciselée de Notre-Dame qui fut achevée vers 1200 sous la direction de l'évêque Eudes de Sully. *En bas au centre :* terrain de jeux du parc du Champ-de-Mars. *Pages suivantes :* la place de la Concorde et l'église de la Madeleine.

SCHACK-REISEN

En haut : une partie de pétanque automnale sous les arbres du mail de la rue Pasteur; *ci-dessus :* les ombres s'allongent dans le parc du Champ-de-Mars. *Page ci-contre :* la lumière du soir se reflète sur les toits des voitures et sur l'asphalte mouillé d'une rue de Paris.

GRIFFON
ALTO
ALTOS
SAUVEL
HOTEL
BUS
HENRY
LINGERIE
Kodak

Ci-dessus : péniches amarrées au quai Conti, en aval du Pont-Neuf et de l'île de la Cité. Le Pont-Neuf est le plus ancien des ponts de Paris; il fut construit de 1578 à 1606 sur les plans de Baptiste Du Cerceau et de Pierre des Illes. Ses douze arches enjambent la partie la plus large de la Seine et il s'appuie en son milieu sur la pointe ouest de l'île de la Cité. Sa solidité est devenue proverbiale. *Page ci-contre :* les étals des bouquinistes, sur le quai de la Tournelle enneigé, sont sous la garde de sainte Geneviève, patronne de Paris; Notre-Dame se dresse à l'arrière-plan.

Ci-dessous, ci-contre et page ci-contre : haute de trois cent vingt mètres et composée d'un assemblage de quinze mille pièces métalliques, la tour Eiffel est partagée en trois étages dans sa hauteur. Elle repose sur quatre énormes pieds de béton. Menacée de démolition en 1909, la Tour fut sauvée par la démonstration de son utilité dans le domaine de la radiotélégraphie. *En bas :* l'ombre d'une Grande Roue sur la rue de Rivoli, et *(pages suivantes)* les tours du quartier de la Défense, construit dans les années 1970.

BP

Bayer

Page ci-contre : (en haut) les lignes régulières du pont d'Iéna et des jardins du Trocadéro; *(en bas)* une manifestation sur la place de la République. Construite en 1854 par Haussmann, la place de la République est dominée en son centre par une statue de Morice achevée en 1883. Autour du piédestal massif qui soutient la colonne, des bas-reliefs de Dalou rappellent des événements importants de l'histoire de la République. *Ci-dessus :* dans les stands du Marché aux Puces de Saint-Ouen, on trouve aussi bien des antiquités que des surplus de l'armée, des disques, des denrées ou des vêtements neufs et d'occasion.

Dans toute la ville, des statues et des sculptures personnifient les idéaux de la France et honorent ses héros. *Page ci-contre, en haut à gauche :* l'allégorie de la République, sur la place du même nom, œuvre de Morice. Si elle brandit le rameau d'olivier de la paix, elle porte aussi un glaive dans son fourreau. *Page ci-contre, en haut à droite :* le Génie de la Liberté, de Dumont, au sommet de la Colonne de Juillet, sur la place de la Bastille. *Ci-contre :* une copie de la statue de Chaudet représentant Napoléon Ier en empereur romain, sur la place Vendôme. *Ci-dessus :* statue d'Albert Ier - roi des Belges de 1909 à 1934 et chef de l'armée belge pendant la Grande Guerre - près du Cours-la-Reine. *En haut à gauche :* réverbères et passants dans la rue Soufflot, près du jardin du Luxembourg; *(à gauche)* bateaux amarrés le long du quai Anatole-France et du quai des Tuileries. *Pages suivantes :* le parc du Champ-de-Mars vu de la Tour Eiffel; à l'arrière-plan, la Seine et le Dôme des Invalides.

La construction de Notre-Dame commença en 1163 sur l'emplacement de deux sanctuaires successifs. Sous la direction initiale de l'évêque Maurice de Sully, le chœur fut construit en premier, suivi par la nef, les nefs latérales, la façade occidentale et les tours, achevées en 1245. Vinrent ensuite les chapelles et les façades du transept : la cathédrale fut achevée en 1345. *Ci-dessous :* la grande rosace et la Vierge à l'Enfant entourée d'anges; *ci-contre :* la statue d'Eve.

Les rives bordées d'arbres de la Seine permettent de se détendre et se promener tout au long de l'année. *Page ci-contre : (en haut)* le Pont-Neuf et le square du Vert-Galant, sur l'île de la Cité, et *(en bas)* la tour Saint-Jacques, au-delà de l'île Saint-Louis. Cette tour de style gothique flamboyant est le seul reste de l'église Saint-Jacques-la-Boucherie, construite de 1508 à 1522 et démolie en 1797. *Pages suivantes :* l'obélisque de Louqsor, sur la place de la Concorde, vu devant les colonnades du ministère de la Marine et de l'hôtel Crillon, et flanqué de quatre - Brest, Rouen, Lille et Strasbourg - des huit statues représentant de grandes capitales provinciales. La statue équestre de Louis XV qui occupait le centre de la place fut enlevée en 1790 pour être remplacée par une colossale statue de la Liberté, œuvre de Dumont. La place Louis XV fut rebaptisée place de la Révolution puis, en 1795, place de la Concorde. L'obélisque, qui fut érigé en 1836, n'a aucune signification politique.

Ci-dessous : la place de Breteuil et l'avenue du même nom, qui mène aux Invalides. Le « complexe » des Invalides, qui comprend l'Hôtel des Invalides, le Dôme et l'église Saint-Louis, fut construit en 1671 à la demande de Louis XIV, pour servir de refuge aux mutilés de guerre. *Page ci-contre, en bas :* le Dôme des Invalides, qui abrite le tombeau de Napoléon *(ci-contre)*, dans une crypte située sous le centre de la coupole.

A gauche : la rue Saint-Antoine vue de la place de la Bastille; on remarque les dômes sombres du Temple Sainte-Marie et l'église Saint-Paul-Saint-Louis. *Ci-contre :* la Colonne de Juillet, sur la place de la Bastille. *En bas à gauche :* la Tour Eiffel et le pont de Bir-Hakeim, et *(ci-dessous)*, la Tour entre l'École militaire et le palais de Chaillot. *En bas au centre :* les élégantes arcades de la rue de Rivoli, ainsi nommée en l'honneur d'une victoire de Napoléon sur les Autrichiens en 1797.

Vu de la fontaine de la place Edmond-Rostand *(en haut)*, le Panthéon illuminé se dresse en haut de la rue Soufflot. Construite par Soufflot de 1764 à 1780, cette église royale dédiée à sainte Geneviève devint à la Révolution la dernière demeure des personnages illustres de la France, avant d'être rendue au culte, pour être enfin réaffectée à la sépulture des grands hommes. *Ci-dessus :* une péniche amarrée au quai Saint-Bernard. *Page ci-contre : (en haut)* une copie de la Statue de la Liberté de Bartholdi se dresse au milieu de la Seine, près du pont de Grenelle; *(en bas)* l'une des deux fontaines construites par Hittorff sur la place de la Concorde. *Pages suivantes :* le pont Alexandre III enjambe la Seine de son arche métallique unique, d'une portée de cent mètres.

Ci-dessus : le Panthéon vu de la place Edmond-Rostand. *En haut à droite :* l'avenue de la Grande-Armée; à l'arrière-plan, les tours de la Défense. *Ci-contre :* Notre-Dame vue du quai de la Tournelle. *En haut au centre :* le Pont-Neuf et les grands magasins du quai de la Mégisserie. *A droite :* le pont des Arts et l'île de la Cité. *Pages suivantes :* illuminations sur les Champs-Elysées *(à gauche)* et l'Arc de Triomphe *(à droite)*. En 1840, cette imposante voie, au long de laquelle étaient alignées plus de cent mille personnes, fut empruntée par le cortège funèbre qui transportait les cendres de Napoléon. L'avenue des Champs-Elysées a depuis lors été utilisée pour les grandes cérémonies de l'Etat; en 1944, une immense procession y célébra la Libération.

CCF

AU CADET DE GASCOGNE
OMMUNE LIBR
du vieux
ONTMARTR
DON DUNLOP
L'Auberge du Village
GALERIE

Repaire modeste et mal famé d'artistes qui tiraient le diable par la queue, et ce du début du XIXe siècle jusqu'aux années vingt - Suzanne Valadon et son fils Maurice Utrillo vécurent et travaillèrent dans le quartier de la rue Norvins et de la rue des Saules -, Montmartre prospère aujourd'hui par l'exploitation d'une version édulcorée de son passé bohème. La place du Tertre *(ci-contre et ci-dessous)*, située au cœur de Montmartre, en contrebas des dômes blancs du Sacré-Cœur, est tapissée des toiles de peintres opportunistes qui jouent pour les touristes le rôle de leurs glorieux prédécesseurs.

PIZZA
RESTA
RUE
DE LA HARPE

A gauche : pluie et *(en bas au centre)* tables vides sur la place du Tertre; *ci-contre et ci-dessous :* le café « Le Consulat », rue Norvins à Montmartre. Le quartier de Montmartre, ou le « Mont des Martyrs », est situé sur une colline calcaire où, selon la tradition, saint Denis, premier évêque de Paris, fut décapité en l'an 272 avec ses deux compagnons Rustique et Eleuthère, sur le chemin du temple de Mercure. Saint Denis ramassa alors sa tête et lava son cou souillé à l'eau d'une fontaine proche; il parcourut ensuite six kilomètres avant de s'effondrer sur le site de l'actuelle basilique de Saint-Denis. *En bas à gauche :* musiciens dans la rue de la Harpe, dans le Quartier Latin. *Pages suivantes :* le Jardin des Plantes, créé en 1626 sous l'appellation de Jardin Royal des Herbes Médicinales par Hérouard et Gui de la Brosse, les médecins de Louis XIII.

L'Opéra *(en haut et page ci-contre)* fut construit à partir de 1861 par l'architecte Charles Garnier, qui remporta le concours organisé par Napoléon pour doter Paris d'une nouvelle salle d'opéra. Cet édifice néo-baroque fut inauguré par un grand concert le 5 janvier 1875. La grande façade *(en haut)* - une composition formelle aux lignes bien équilibrées, richement ornée des sculptures de Jean-Baptiste Carpeaux - et le caractère somptueux des décorations intérieures en font un grand monument dans le goût du Second Empire. *Page ci-contre :* la statue d'Apollon, dieu grec de la musique et de la poésie, exécutée par Jean-François Millet, couronne l'édifice. *Ci-dessus :* l'avenue des Champs-Elysées qui s'étend de Marly jusqu'à l'Arc de Triomphe.

Les nombreux parcs de la ville sont fort appréciés des Parisiens qui y trouvent calme, détente et verdure. *Ci-contre :* la vitrine d'une pâtisserie de la rue du Bac, à Saint-Germain-des-Prés. *Pages suivantes :* toits d'ardoises, murs de briques ou de pierres et dômes blancs du Sacré-Cœur vus de la place de la République.

17

Carillon

CHENIL

CREDIT LYONNAIS
165 VAUGIRARD

La ville est parcourue de larges avenues rectilignes. *Pages précédentes : (à gauche)* la place de la Porte d'Italie et l'avenue d'Italie, et *(à droite)* la rue de Rennes qui passe auprès de la haute façade blanche de l'église Saint-Sulpice pour aboutir devant le clocher de Saint-Germain-des-Prés. *A l'extrême droite :* l'avenue de Breteuil et le Dôme des Invalides. Tout autour de Paris, des carrefours marquent l'emplacement des portes ménagées dans les anciens remparts de la ville, dont le tracé est maintenant suivi par le Boulevard périphérique. Au centre à droite : la Porte Dauphine et l'avenue Foch; *en bas à droite :* la Porte Maillot et l'avenue de la Grande-Armée. *Ci-contre :* le Sacré-Cœur vu du boulevard de Rochechouart, et *(ci-dessous)* Notre-Dame et le square Jean XXIII. *A droite :* une piscine du bois de Boulogne.

AGFA
AUDIO
VIDEO

Page ci-contre : (en haut) lever de soleil et *(en bas)* la nuit au Forum des Halles, le nouveau centre commercial et de loisirs qui a comblé de sa structure de verre et d'acier le vide laissé en 1971 par la disparition des anciens pavillons des Halles. Avant leur fermeture en 1968, les Halles avaient été depuis le début du XIIe siècle le grand marché alimentaire de Paris. *En haut :* les Champs-Elysées au moment des Fêtes, et *(ci-dessus)* la Conciergerie illuminée. Bâtie au début du XIVe siècle, elle doit son nom au Concierge, l'officier royal qui en était responsable. Au XVIe siècle, la Conciergerie devint une prison d'état, et sous la Révolution des milliers de condamnés attendirent dans ses sinistres cellules de passer à la guillotine. *Pages suivantes :* le château et les jardins de Versailles, à une vingtaine de kilomètres au sud-ouest de Paris.

Ci-dessous : l'un des quatre pylônes du pont Alexandre III; *(ci-contre)* le quai de Montebello. *En bas :* la façade Second Empire de l'Opéra, richement ornée de guirlandes et de masques dorés, d'allégories de l'harmonie et de la poésie, ainsi que de bustes représentant des compositeurs et écrivains célèbres. *Page ci-contre :* motifs circulaires des toits du Forum des Halles.

L'église Saint-Pierre-de-Montmartre *(à droite)* est comme écrasée par la masse du Sacré Cœur, au sommet de la butte Montmartre. La construction de Saint-Pierre, qui faisait à l'origine partie d'un monastère bénédictin fondé par Louis VI le Gros et Adélaïde de Savoie, commença vers 1134 et fut achevée à la fin du XIIe siècle. D'importantes modifications et de nombreux travaux de restauration ont depuis lors été effectués. Commencée en 1875 « pour racheter les péchés de la Commune », la basilique du Vœu National au Sacré-Cœur de Jésus *(en bas à droite)* fut bâtie grâce à des fonds provenant d'une souscription nationale. Le Sacré-Cœur fut inauguré en 1889, mais ne fut réellement achevé que plus d'un quart de siècle plus tard. *Ci-contre et ci-dessous :* les frondaisons de la place de la République, et *(en bas au centre)* les arcades de la rue de Rivoli.

Page ci-contre et en haut : le grand magasin des Galeries Lafayette, avec sa coupole de verre, et *(ci-contre)* les salons de la maison de haute couture Chanel. *Ci-dessus :* « Le Sacre de Napoléon », de Louis David, est l'un des tableaux de l'Ecole française du XIXe siècle exposés au musée du Louvre. Cet immense musée, qui occupe une partie du palais du Louvre, fut ouvert au public le 10 août 1793; au fil des œuvres exposées, on peut effectuer un voyage qui va de l'art de l'Antiquité égyptienne, grecque et romaine jusqu'à la sculpture moderne.

Le pont Alexandre III a été construit pour célébrer l'alliance franco-russe de 1892 et nommé en l'honneur du tsar Alexandre III. La première pierre du pont fut posée en 1896 par le président Félix Faure et le tsar Nicolas II. Les armoiries impériales côtoient celles de Paris parmi les ornementations du pont, et les représentations allégoriques de la déesse de la Néva et de la Seine se font face. De grands pylônes surmontés de sculptures de déesses et de chevaux ailés *(en haut)* et quatre figures allégoriques de la France à différents stades de son histoire marquent les entrées du pont, dont l'arche unique est ornée de guirlandes et supporte des lampadaires richement ouvragés *(page ci-contre)*.

Les Parisiens adorent sortir, et leur ville regorge de bons restaurants; certains des moins chers bordent les ruelles de Montmartre et du cosmopolite Quartier Latin. *Ci-contre :* « Le Consulat », rue Norvins, était au XIXe siècle l'un des hauts lieux de la bohème. *Ci-dessous :* un restaurant de la rue Saint-Rustique, et *(ci-dessous à droite)* un snack de Montmartre. *A droite :* les tables des restaurants débordent jusqu'au milieu de la rue du Sabot, dans le Quartier Latin.

A LA BELLE ÉTOILE
15
17
Restaurant Japonais "MitsuKo"

PATISSERIE
FINE
Spécialité de
VOL au VENT
CUISINE
GLACES
SORBETS

U PETIT COMPTOIR
ACES-BOISSONS
CREPES
FRITES-HOT-DOG
Coca-Cola
CREPES
Coca-Cola

Page ci-contre : (en haut) l'une des sculptures des pylônes du pont Alexandre III, et *(en bas)* Paris vu du dôme du Sacré-Cœur. L'avenue Foch *(en haut)*, la plus large des douze imposantes avenues qui partent de la place Charles-De-Gaulle, mène à la place du Maréchal De Lattre de Tassigny et au bois de Boulogne. *Ci-dessus :* les lignes futuristes du centre commercial et de loisirs du Forum des Halles, où l'on trouve certaines des boutiques les plus luxueuses de Paris, répondent à celles de l'église Saint-Eustache *(pages suivantes)*. Commencée en 1532 et achevée en 1637, Saint-Eustache fut bâtie sur les plans de Lemercier. De structure gothique, elle est Renaissance par son décor.

Les Champs-Elysées *(ci-dessous)* s'étendent sur d'anciens marécages assainis. Dessinée par Le Nôtre en 1667, cette large avenue, bordée d'une double rangée d'arbres, était connue sous le nom de Grand Cours, avant d'être rebaptisée en 1709. Sous le Second Empire, c'était une rue d'élégantes résidences et d'hôtels particuliers qui furent par la suite remplacés par des cabarets, des cafés, des boutiques de luxe, des cinémas et par les sièges sociaux de grandes entreprises. *Page ci-contre : (en haut)* la Seine, enjambée par le pont Mirabeau puis divisée par l'allée des Cygnes; *(en bas)* la perspective rectiligne du Champ-de-Mars vue de la Tour Eiffel. Sous l'Ancien Régime et la Révolution, ce parc fut le cadre de nombreuses fêtes et cérémonies, dont la fête de l'Etre Suprême organisée par Robespierre le 8 juin 1794. *Pages suivantes :* la place de la République.

HOTEL
SELF SERVICE
HOTEL

Banque Populaire
Banque
CAFE AU SOLEIL LEVANT BRASSERIE
SALON DE THE
CENTRE TECHNIQUE
RENAULT RUEIL

Le château de Versailles naquit de l'embellissement d'un rendez-vous de chasse construit en 1634 pour Louis XIII sur une colline proche du village de Versailles. Après avoir admiré la magnificence de Vaux-le-Vicomte, résidence de son ministre des Finances, Louis XIV demanda en 1661 à André Le Nôtre, Louis Le Vau et Charles Le Brun, qui avaient bâti ce palais, d'améliorer le château de son père. *A droite :* l'Orangerie et *(ci-dessous)* les plates-bandes des jardins à la française dessinés par Le Nôtre. *En bas à droite :* le portail d'entrée du château, dû à Mansart, s'ouvre sur l'avant-cour et la cour Royale. *Ci-contre :* cette statue de Louis XIV datant du XIXe siècle se dresse entre l'avant-cour et la cour Royale. *En bas à gauche :* la Diane chasseresse de Desjardins, sur la fontaine de Diane. *En bas au centre :* la Maison de la Reine, dans le hameau du Petit Trianon. *Pages suivantes : (à gauche)* les toits et les cheminées semblent escalader la butte Montmartre; *(à droite)* le boulevard de Grenelle.

En haut : une après-midi dans les allées ombragées du Jardin des Plantes, et *(ci-dessus)*, un soir devant le Petit Palais, avenue Winston-Churchill. Notre-Dame *(page ci-contre)*, cœur religieux de Paris, faillit disparaître au cours de la Révolution. Endommagée par des émeutiers et dédiée au culte de la Raison, elle fut vendue aux enchères en 1793 et faillit être démolie par le marchand de matériaux de construction qui l'avait acquise. Parvenu au pouvoir, Napoléon sauva la cathédrale, qu'il fit consacrer à nouveau en 1802 et redécorer pour qu'elle pût servir de cadre à son sacre impérial en 1804. Louis-Philippe ordonna de nouveaux travaux de restauration qui furent menés à bien par Viollet-le-Duc entre 1845 et 1864. *Pages suivantes :* le pont Alexandre III.

CLUB de FRANCE
TOURI

Le vaste et moderne Centre national d'art et de culture Georges-Pompidou, plus connu sous l'appellation de Centre Beaubourg *(page ci-contre, en haut)*, a ouvert ses portes en 1977. Il abrite les collections du Musée national d'art moderne, ainsi que de nombreuses expositions temporaires. *Page ci-contre, en bas :* les tours d'habitation de la Porte de Choisy. *En haut :* les colonnes et les frontons des bâtiments occupés pour l'un par l'Automobile Club et l'hôtel Crillon et pour l'autre par le ministère de la Marine, sur la place de la Concorde. A l'extrémité de la rue Royale se dresse l'église de la Madeleine, construite en 1806 sur l'ordre de Napoléon en l'honneur de la Grande Armée. *Ci-dessus :* le Forum des Halles.

Ci-contre à gauche : le quai de Montebello. *En haut :* la grande rose et *(ci-dessus)* des cierges brûlant à Notre-Dame *(page ci-contre, en haut).* Les magnifiques vitraux et les grandes verrières de la chapelle haute de la Sainte-Chapelle du Palais. Erigée entre 1243 et 1248 sur une commande de saint Louis pour servir de reliquaire, cette dernière se compose de deux chapelles superposées : la chapelle haute, qui communiquait avec les appartements royaux et la chapelle basse, destinée à la Maison du Roi.

Pages précédentes : les jardins du Trocadéro et le palais de Chaillot. Le palais du Luxembourg *(ci-dessus)*, édifié entre 1615 et 1627 par Salomon de Brosse pour Marie de Médicis, veuve d'Henri IV, était apparemment destiné à rappeler à celle-ci le palais Pitti de Florence, où elle était née. *En haut :* le naturaliste et écrivain Georges Louis Leclerc, comte de Buffon, intendant du Jardin des Plantes. *Page ci-contre : (en haut)* le Petit Pont et le pont Saint-Michel, qui relient l'île de la cité à la Rive Gauche, et *(en bas)* la tour Saint-Jacques (bâtie au début du XVIe siècle), les toits d'ardoises et les arcs-boutants de Saint-Eustache et l'omniprésent Sacré-Cœur.

L'Arc de Triomphe de l'Etoile, au centre de la place Charles-De-Gaulle, fut érigé en l'honneur de la Grande Armée, à la demande de Napoléon, après les victoires de Marengo et d'Austerlitz. Construit entre 1806 et 1836 selon les plans de Jean-François Chalgrin, cet arc haut de 49,5O mètres s'inspire de la Porte Saint-Denis du temps de Louis XIV. *Ci-dessus :* le Départ des volontaires de 1792, dit « la Marseillaise », de Rude, est l'un des hauts-reliefs colossaux qui ornent les faces de l'Arc. *Page ci-contre : (en haut)* la tombe du Soldat inconnu, où une flamme éternelle veille sur la mémoire des morts des deux guerres mondiales. *Pages suivantes :* les dômes du temple Sainte-Marie et l'église Saint-Paul-Saint-Louis, rue Saint-Antoine, le Centre Pompidou et, dans le lointain, la Défense.

SMOLENSKO
POLOTSK
WURSCHEN

l'alsace
la maison d'alsace
l'alsace

Page ci-contre : (en haut) l'Arc de Triomphe; *(en bas à gauche)* la tombe du Soldat inconnu, *(en bas à droite)* les Champs-Elysées et *(en haut à droite)* la statue dorée de Jeanne d'Arc sur la place des Pyramides. *Ci-dessus :* une statue due à Aristide Maillol, près de l'Arc de Triomphe du Carrousel; *en haut :* le Centre Pompidou, et *(ci-contre)* la rue des Abbesses. *Pages suivantes :* le pont Alexandre III.

L'église de Saint-Germain-des-Prés *(en haut)* est la plus ancienne de Paris; elle appartenait à l'origine à l'abbaye bénédictine fondée en 558 par Childebert Ier. Certaines parties de l'abbaye furent reconstruites aux XIe et XIIe siècles, et l'église fut consacrée par le pape Alexandre III en 1163. *Ci-dessus :* l'Arc de Triomphe vu des Champs-Elysées. Dans les écoinçons de l'arche principale, des représentations allégoriques dues à Pradier figurent la Gloire; elles sont flanquées de panneaux décrivant des incidents des batailles de la Révolution et de l'Empire. Les noms de ces batailles, ainsi que ceux de cent cinquante-huit généraux, sont inscrits dans les écus et sur les piles. *Page ci-contre : (en haut)* la place de la Concorde et l'église de la Madeleine illuminées, et *(en bas)* Notre-Dame. *Page suivante :* le drapeau français flottant sous l'Arc de Triomphe.